# Exceller au

## TENNIS

Conception graphique de la couverture: Katherine Sapon
Conception graphique de la maquette intérieure: Laurent Trudel

DISTRIBUTEURS EXCLUSIFS:

- Pour le Canada et les États-Unis:
  **LES MESSAGERIES ADP\***
  955, rue Amherst, Montréal H2L 3K4
  Tél.: (514) 523-1182
  Télécopieur: (514) 521-4434
  \* Filiale de Sogides Ltée

- Pour la Belgique et le Luxembourg:
  **PRESSES DE BELGIQUE**
  96, rue Gray, 1040 Bruxelles
  Tél.: (32-2) 640-5881
  Télécopieur: (32-2) 647-0237

- Pour la Suisse:
  **TRANSAT S.A.**
  Route du Grand-Lancy, 2, C.P. 125, 1211 Genève 26
  Tél.: (41-22) 42-77-40
  Télécopieur: (41-22) 43-46-46

- Pour la France et les autres pays:
  **INTER FORUM**
  13, rue de la Glacière, 75624 Paris Cédex 13
  Tél.: (33.1) 43.37.11.80
  Télécopieur: (33.1) 43.31.88.15
  Télex: 250055 Forum Paris

# Charles Bracken

## Exceller au

# TENNIS

Traduit de l'américain
par
Normand Paiement
et Patricia Juste

**COLLECTION SPORT**
dirigée par Louis Arpin

LES ÉDITIONS DE L'HOMME

**Données de catalogage avant publication (Canada)**

Bracken, Charles

   Exceller au tennis

   (Collection Sport)
   Traduction de: Tennis.
   Pour les jeunes.

   ISBN 2-7619-0966-6

   1. Tennis — Ouvrages pour la jeunesse.   I. Titre.
II. Collection: Collection Sport (Editions de l'Homme).

GV996.5.B3714  1991    J796.342'2    C91-096660-5

© 1990, Troll Associates

© 1991, Les Éditions de l'Homme,
une division du groupe Sogides,
pour la traduction française

L'ouvrage original anglais a été publié par Troll Associates
sous le titre: *Tennis*
(ISBN: 0-8167-1932-2)

Dépôt légal: 2$^e$ trimestre 1991
Bibliothèque nationale du Québec

ISBN 2-7619-0966-6

# PRÉFACE
## par Susan Patton

Partout à travers le monde, on voit des gens âgés de tous âges jouer au tennis. C'est un sport qui vous aidera à rester jeune, en forme et actif. Le présent guide vous en enseignera les techniques de base. N'hésitez pas à les mettre ensuite en pratique avec vos amis. Au besoin, prenez quelques leçons avec un joueur professionnel ou un moniteur. Vous auriez tout intérêt également à relire cet ouvrage après vous être exercé pendant un certain temps. Vous serez surpris par tout ce que vous pourrez encore apprendre lors d'une seconde lecture!

Mais commençons par le commencement. Lisez ce livre attentivement. Puis procurez-vous une raquette et quelques balles, rendez-vous sur un court et commencez à pratiquer l'un des sports les plus excitants qui soient: le tennis. Bonne chance!

**Susan Patton** est l'entraîneur de l'équipe féminine de tennis de l'Université Seton Hall depuis 1973. Ses élèves ont gagné un pourcentage impressionnant de tournois — 75 p. 100 — et, parmi les nombreux honneurs qu'elles ont récoltés, on remarque un championnat d'État. Depuis 1985, Susan est également en charge de l'équipe masculine de Seton Hall. À titre de joueuse, elle a remporté à plusieurs reprises le championnat en simple et en double sur gazon de l'Orange Lawn Tennis Club du New Jersey.

N.D.T.: Nous tenons à remercier l'Office de la langue française et la Fédération québécoise de tennis pour leur précieuse collaboration.

# UN SPORT
# PASSIONNANT!

**L**e tennis est un sport qui exige rapidité, adresse et résistance. Il requiert également de la réflexion. En effet, les joueurs de tennis ne se contentent pas de s'envoyer la balle n'importe comment par-dessus le filet; ils usent de stratégie et utilisent différents coups dans le but de confondre leur adversaire.

Sur plusieurs points, le tennis est un sport unique en son genre. Les hommes et les femmes peuvent y jouer ensemble sans que les uns soient désavantagés par rapport aux autres, la taille des joueurs n'ayant aucune importance. Pour jouer au tennis, il faut être agile, avoir de bons réflexes, une bonne synchronisation et de l'endurance. Mais il faut avant tout avoir la volonté d'apprendre et de s'entraîner avec assiduité.

La courtoisie est un autre élément important de ce sport. Les spectateurs assistant à un match de tennis sont rarement bruyants ou indisciplinés. Ils applaudissent généralement au bon moment, évitant de le faire pendant que le jeu se déroule afin de ne pas nuire à la concentration des joueurs.

Malgré cela, le tennis est un sport très excitant où la compétition est féroce. Un bon match de tennis vous fera connaître autant de sensations fortes que n'importe quel autre événement sportif. Oui, le tennis est un sport passionnant que l'on prend plaisir à apprendre, à pratiquer et à voir jouer.

# HISTORIQUE

**Q**uelles sont les origines du tennis? Il n'est pas facile de répondre à cette question. On ignore où et quand exactement le tennis a été inventé; on sait seulement que, dans l'Antiquité, les Égyptiens, les Grecs et les Perses pratiquaient des jeux qui ressemblaient fort au tennis.

Plusieurs centaines d'années plus tard, la noblesse anglaise s'adonnait à un jeu pratiqué à l'intérieur qui s'appelait *real tennis* (contraction de *Royal Tennis*), et qui était déjà connu en France sous le nom de *jeu de paume*. Le terrain était délimité par quatre murs et divisé en deux par un filet suspendu. Ce jeu était un mélange de tennis et de *jai alai* (variété de pelote basque où les joueurs utilisent un instrument d'osier en forme de gouttière recourbée qu'ils attachent à leur poignet et qui sert à propulser la balle).

Le mot «tennis» vient du vieux français *tenetz*. À l'époque du jeu de paume, le serveur poussait cette exclamation avant d'envoyer la balle.

Au début, on jouait au *real tennis* à main nue, puis on utilisa un gant et, par la suite, une sorte de battoir. Enfin, on commença à se servir de raquettes semblables à celles que l'on utilise de nos jours.

Diverses versions du tennis existaient déjà lorsque, à la fin du XIX^e siècle, le major Walter Clopton Wingfield entra en scène. On considère généralement ce militaire anglais comme l'inventeur du tennis moderne.

Au cours d'une réception qui eut lieu au pays de Galles en 1873, Wingfield proposa un jeu de raquette et de balle qu'il appela *sphairistike*, mot grec signifiant «jeu de balle». Mais ce nom fut rapidement remplacé par celui de *lawn-tennis*.

Wingfield fit une demande de brevet qu'il obtint en 1874. Il se mit alors à vendre, en Angleterre et dans d'autres pays, des ensembles contenant deux raquettes, des balles et un filet, de même qu'un fascicule expliquant les règlements du jeu et sur lequel il avait dessiné un court en forme de sablier — c'était la forme des courts de tennis à cette époque.

**LES DÉBUTS DU LAWN-TENNIS**

De plus en plus de gens s'intéressèrent bientôt au *lawn-tennis*. En 1875, le Cricket Club de Marylebone publia un livret de règlements.

Le All-England Club modifia ces règlements en 1877 et devint le premier organisme officiel de ce sport. Cette année-là, le premier tournoi important de tennis fut organisé au siège social du Club à Wimbledon, en banlieue de Londres. Depuis, le plus important tournoi de Grande-Bretagne se déroule toujours à cet endroit et le nom de Wimbledon est célèbre dans le monde entier.

Vers 1877, le *lawn-tennis* commença à ressembler de plus en plus à la version moderne de ce sport. On modifia le terrain pour lui donner sa forme rectangulaire actuelle; on changea la forme du filet et on l'abaissa, et on adopta le système de décompte des points que l'on connaît aujourd'hui.

Grâce à Mary Ewing Outerbridge de Staten Island, dans l'État de New York, le tennis fut importé en Amérique en 1874. Mme Outerbridge acheta un équipement de tennis à des officiers de l'armée britannique en poste aux Bermudes et le rapporta aux États-Unis, où ce sport devint rapidement populaire.

En 1881, le premier championnat américain pour hommes fut organisé à Newport dans le Rhode Island. À partir de 1915, ce championnat se déroula au West Side Tennis Club de Forest Hills, dans l'État de New York. Depuis 1978, ce tournoi, connu sous le nom de U.S. Open (ou Omnium des États-Unis), a lieu au National Tennis Center à Flushing Meadow, dans le même État.

Outre les tournois de Grande-Bretagne et des États-Unis, les championnats de France (Roland-Garros) et d'Australie (Flinders Park) comptent parmi les plus grands tournois internationaux. On dit d'ailleurs d'un joueur qui remporte ces quatre tournois au cours de la même saison qu'il a réussi le «grand chelem».

Avec les années, le tennis est devenu l'un des sports internationaux préférés des amateurs. Des tournois de championnat sont désormais disputés partout dans le monde.

# L'ÉQUIPEMENT
# ET LE COURT

**V**ous n'avez pas besoin de grand-chose pour jouer au tennis. En fait, il vous suffit simplement d'une raquette, d'une paire de chaussures de tennis, d'une balle et d'un court.

## LA RAQUETTE

Les raquettes de tennis sont généralement en bois, en fibre de verre ou en métal léger. Le cordage est en boyau ou en nylon. La raquette doit peser entre 325 g et 450 g (entre 11 1/2 et 16 oz) et elle mesure généralement 68,5 cm (27 po) de long. Les enfants de neuf à douze ans devraient utiliser une raquette pesant entre 325 g et 355 g (entre 11 1/2 et 12 1/2 oz) et ayant un manche mesurant de 10,8 cm à 11,4 cm (4 1/4 à 4 1/2 po) de circonférence. Les joueurs plus âgés peuvent utiliser une raquette plus lourde et dont le manche est plus gros.

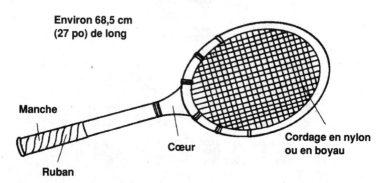

**RAQUETTE DE TENNIS**

Environ 68,5 cm
(27 po) de long

Manche

Cœur

Cordage en nylon
ou en boyau

Ruban

La circonférence du manche de la raquette varie. Vous devez donc choisir celle-ci en fonction de la grandeur de votre main. Votre pouce doit pouvoir rejoindre la première jointure de votre majeur lorsque vous tenez la raquette.

Choisissez une raquette maniable qui vous semble légère lorsque vous la tenez en main. Elle doit également être bien équilibrée. N'utilisez jamais une raquette dont la tête vous semble un tant soit peu lourde. En effet, une telle raquette fatiguerait votre bras et vous ferait perdre le contrôle de la balle au moment de l'accompagnement (*follow-through* en anglais, c'est-à-dire la fin du mouvement de la raquette après l'impact).

## LA BALLE

Une balle de tennis normale pèse environ 57 g (2 oz) et a un diamètre d'environ 6,4 cm (2 1/2 po). Faite de caoutchouc, elle est vide à l'intérieur et recouverte de feutre blanc ou jaune.

## LA TENUE

Il n'est pas nécessaire d'avoir des vêtements de tennis très coûteux. Ils devraient être simples et de bon goût, et ne pas vous gêner dans vos mouvements. Un short, une chemise à manches courtes, des chaussettes de coton blanc et des chaussures de tennis conviennent parfaitement. On trouve dans le commerce différents modèles de tenues pour femme.

Les règlements des tournois officiels exigent que les joueurs portent des vêtements blancs. Les chaussures devraient également être blanches et ne pas être trop lourdes. Il est préférable de porter des chaussettes de coton épaisses; elles aident à absorber l'impact des

**TENUE**

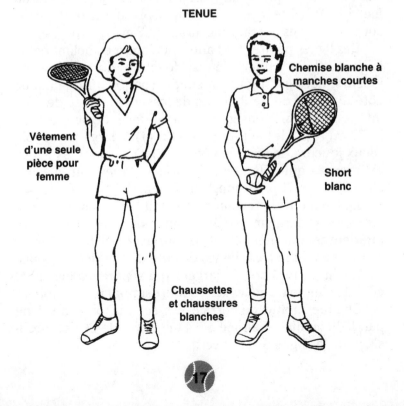

Vêtement
d'une seule
pièce pour
femme

Chemise blanche à
manches courtes

Short
blanc

Chaussettes
et chaussures
blanches

chocs que les pieds subissent tout au long du jeu. Les chaussettes normales, trop minces, pourraient provoquer des ampoules.

## LE COURT DE TENNIS

Le court (ou terrain) de tennis doit être disposé de telle façon que ses deux extrémités soient dans l'axe nord-sud, ceci afin d'éviter que les joueurs ne soient incommodés par les rayons du soleil levant à l'est et ceux du soleil couchant à l'ouest.

La surface du court peut être recouverte de gazon, d'asphalte ou de brique pilée (ou terre battue). Un court de tennis réglementaire mesure 23,77 m (78 pi) de longueur sur 10,97 m (36 pi) de largeur. Il est divisé en deux par un filet dont la hauteur est de 91,5 cm (3 pi) au centre et qui est soutenu par des poteaux mesurant 1,07 m (3 pi 6 po).

Des lignes peintes tout autour du court en délimitent la surface. Cette superficie est fonction du nombre de joueurs. Lorsqu'on joue en simple (un joueur de chaque côté du filet), on ne doit pas dépasser les lignes de côté intérieures; par conséquent, la surface de jeu est de 23,77 m (78 pi) de long sur 8,23 m (27 pi) de large. En double (deux joueurs de chaque côté du filet), ce sont les lignes extérieures qui délimitent la surface de jeu, qui mesure alors 23,77 m (78 pi) de long sur 10,97 m (36 pi) de large.

La longueur du terrain est délimitée par les «lignes de fond», et sa largeur, par les «lignes de côté». Les lignes intérieures qui délimitent la surface utilisée pour le simple sont appelées «lignes de côté de simple». L'espace de 1,37 m (4 pi 6 po) de largeur qui sépare les lignes de côté de simple de celles de double est nommé «couloir».

Chaque moitié de terrain est coupée par une ligne parallèle au filet et située à 6,4 m (21 pi) de ce dernier. Il s'agit de la «ligne de service».

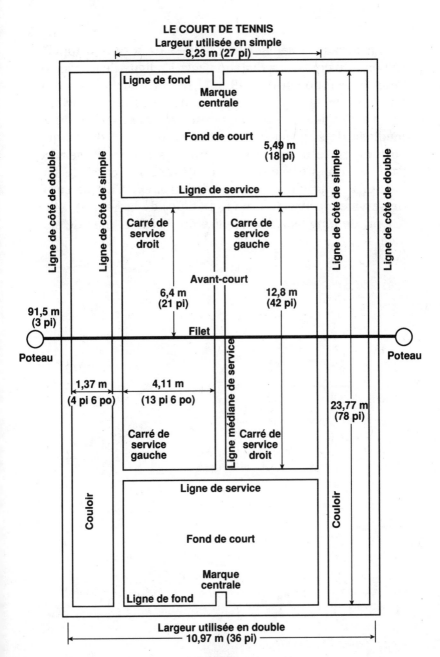

# LE COURT DE TENNIS

**Largeur utilisée en simple**
**8,23 m (27 pi)**

Ligne de fond

**Marque centrale**

**Fond de court**

5,49 m
(18 pi)

Ligne de service

Ligne de côté de double

Ligne de côté de simple

**Carré de service droit**

**Carré de service gauche**

**Avant-court**

6,4 m
(21 pi)

12,8 m
(42 pi)

Ligne de côté de simple

Ligne de côté de double

91,5 m
(3 pi)

**Filet**

**Poteau**

**Poteau**

1,37 m
(4 pi 6 po)

4,11 m
(13 pi 6 po)

Ligne médiane de service

23,77 m
(78 pi)

**Carré de service gauche**

**Carré de service droit**

Couloir

Couloir

Ligne de service

**Fond de court**

**Marque centrale**

Ligne de fond

**Largeur utilisée en double**
**10,97 m (36 pi)**

**19**

La surface située derrière la ligne de service s'appelle le «fond de court». La distance entre la ligne de service et la ligne de fond est de 5,49 m (18 pi). La surface se trouvant devant la ligne de service porte le nom d'«avant-court». Celui-ci est divisé en son centre par la «ligne médiane de service». Les parties se trouvant de chaque côté de cette dernière sont appelées «carré de service gauche» (ou «surface de service gauche») et carré de service droit (ou «surface de service droite»). Chaque carré de service mesure 4,11 m (13 pi 6 po) de largeur et 6,4 m (21 pi) de longueur, c'est-à-dire du filet à la ligne de service.

# LE DÉCOMPTE DES POINTS ET LE JEU

**C**ertaines personnes s'imaginent qu'il est difficile d'apprendre à jouer au tennis. Il est vrai que ce sport demande beaucoup d'entraînement et de concentration, mais les règlements concernant le décompte des points et le jeu lui-même sont tout simples à apprendre. Vous vous y habituerez rapidement.

## LE DÉCOMPTE DES POINTS

Un match de tennis est composé de «sets», ou «manches», et de «jeux». Pour remporter un set, un joueur doit gagner six jeux et, pour remporter un match, il doit, dans la plupart des cas, gagner deux sets sur trois — parfois, en effet, il lui faut gagner trois sets sur cinq. Pour remporter un jeu, il doit marquer quatre points. Au tennis, la marque 0-0 se nomme *love*. On donne la marque de 15 au joueur qui gagne le premier point; 30 pour le deuxième point; et 40 pour le troisième point. Le quatrième et dernier point donne le «jeu».

Si les deux joueurs ont chacun trois points, on dit qu'ils sont à «égalité». En pareil cas, un joueur doit marquer deux points consécutifs pour remporter le jeu. Il doit toujours y avoir au moins deux points d'écart entre le score du vainqueur et celui du perdant.

En cas d'égalité, le point suivant est annoncé *avantage* en faveur du joueur qui le gagne. S'il marque encore un point, il remporte le jeu. Si c'est son adversaire qui marque le point, les deux joueurs sont de nouveau à égalité. Le jeu se poursuit alors jusqu'à ce que l'un d'eux gagne deux points consécutifs.

## LES RÈGLES DU JEU

On peut jouer au tennis à deux ou à quatre. Si deux joueurs s'affrontent (un de chaque côté du filet), on dit qu'ils jouent en *simple*. S'ils sont quatre (deux de chaque côté du filet), on dit qu'ils jouent en *double*. En *double mixte,* deux équipes s'affrontent, composée chacune d'un homme et d'une femme.

Un match commence par un service. Souvent, les adversaires tirent à pile ou face pour déterminer qui fera le premier service. Le service permet de mettre la balle en jeu. Le joueur qui remporte le tirage au sort fait le premier service. Le perdant choisit le côté du filet où il veut jouer.

**LE JEU COMMENCE PAR UN SERVICE**

Si le gagnant du tirage au sort décide de choisir le côté du filet où il désire jouer, c'est le perdant qui sert. Toutefois, il vaut mieux garder le service lorsqu'on l'emporte au tirage au sort. Dans bien des cas, en effet, le serveur dispose d'un avantage marqué sur son adversaire parce qu'il peut être très difficile pour celui-ci de renvoyer une balle de service frappée avec force et adresse.

Le serveur se tient juste derrière la ligne de fond (voir p. 18), à droite de la marque centrale (la petite marque tracée au milieu de la ligne de fond) et à gauche de la ligne de côté. Il lance la balle en l'air et la frappe en diagonale, par-dessus le filet, dans le carré de service droit de son adversaire. (Voir pp. 47-50 pour une description plus détaillée du service.)

Le receveur (joueur qui reçoit le service) doit attendre que la balle ait rebondi avant de la renvoyer. Après le service, les joueurs peuvent envoyer la balle vers n'importe quelle partie du terrain adverse sans qu'il soit nécessaire de la laisser rebondir. Un joueur peut, en effet, frapper la balle lorsqu'elle est en l'air avant qu'elle n'ait effectué un rebond, ce qui est parfois à son avantage.

Ligne de côté

La balle doit toujours atterrir à l'intérieur des limites du terrain. Si la balle touche le sol de l'autre côté de la ligne de fond ou des lignes de côté, on dit qu'elle est «à l'extérieur» (*out* en anglais). Un joueur qui envoie la balle hors des limites du terrain perd le point.

Lorsqu'un point est marqué, le serveur va de l'autre côté de la marque centrale pour effectuer le service suivant. Il se déplace ainsi d'un côté à l'autre du terrain après chaque point. Le même joueur sert jusqu'à la fin du jeu, puis c'est au tour de son adversaire tout au long du jeu suivant. Les joueurs servent ainsi à tour de rôle après chaque jeu. Les adversaires changent de côté après le premier et le troisième jeux, et ainsi de suite tous les deux jeux suivants.

Quand la balle touche le sol à l'extérieur du carré de service ou ne franchit pas le filet, on dit qu'il y a «faute» de service. Le serveur a alors droit à un second service. Si ce dernier est encore raté, il y a «double faute» et le serveur perd le point.

Si la balle touche le filet avant de rebondir dans le carré de service adverse, on dit let. Le service est à reprendre; autrement dit, le serveur peut recommencer son service sans qu'il y ait faute ou que son adversaire marque un point. Le nombre de lets pouvant être effectués pendant un service est illimité. Il y a également faute de service si le serveur touche la ligne de fond ou pose le pied sur le court avant d'avoir frappé la balle; il s'agit d'une «faute de pied». Le joueur doit alors faire un second service et perd le point s'il commet une nouvelle faute.

Au cours de la partie, vous perdez un point chaque fois que vous commettez l'une des erreurs suivantes: vous n'envoyez pas la balle par-dessus le filet; vous l'envoyez hors des limites du court de votre adversaire; vous ne parvenez pas à la frapper avant qu'elle n'ait effectué un deuxième rebond; ou encore vous la frappez plus d'une fois avec votre raquette.

**EXEMPLE DE FAUTE DE PIED**

Ligne de fond

Ligne de fond

Pied sur la ligne
de fond au moment
du service

Contrairement à la plupart des autres jeux d'équipe, les matchs de tennis ne comportent aucune limite de temps. Le jeu se poursuit jusqu'à ce qu'il y ait un gagnant, peu importe le temps que cela demande. Comme nous l'avons déjà mentionné, l'écart entre le score du gagnant et celui du perdant doit toujours être d'au moins deux points.

## LE DOUBLE

En double, deux équipes s'affrontent, composée chacune de deux joueurs. Chaque joueur doit être en mesure d'harmoniser son jeu avec celui de son partenaire. Ainsi, deux excellents joueurs de simple ne font pas nécessairement une bonne équipe. En double, coopération et esprit d'équipe sont les clés du succès.

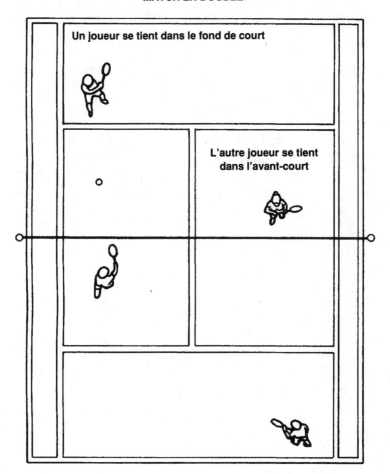

Un joueur se tient dans le fond de court

L'autre joueur se tient dans l'avant-court

Pour le double, le terrain est plus large que pour le simple (voir p. 18). Les joueurs disposent ainsi d'un plus grand espace de manœuvre. Généralement, les débutants se placent de la manière suivante: l'un des deux partenaires se trouve dans l'avant-court près du filet, tandis que l'autre se tient dans le fond de court. Autant que possible, ils tentent de demeurer de chaque côté de la ligne médiane.

Selon la direction que prend la balle envoyée par leurs adversaires au cours du jeu, les joueurs de double peuvent être appelés à changer de position, tant dans un sens que dans l'autre du terrain.

Les équipes sont disposées de telle sorte que celui des deux partenaires qui est posté à l'avant-court se trouve juste en face de celui de ses deux adversaires qui se tient dans le fond de court.

Avec un peu d'adresse, le joueur se trouvant dans le fond de court pourra s'approcher du filet aux côtés de son partenaire et frapper ainsi des volées qui permettront à son équipe de marquer des points.

# LA PRISE
# DE LA RAQUETTE

**U**ne fois que vous avez trouvé la raquette qui vous convient (voir p. 15), vous pouvez commencer à apprendre comment la tenir pour effectuer les coups droits, les revers et les services.

Les deux premières prises que nous étudierons sont utilisées pour les coups droits, c'est-à-dire lorsque vous frappez la balle du côté de la main qui tient la raquette.

## LA PRISE *EASTERN* DE COUP DROIT

La prise *eastern* de coup droit est également appelée prise «poignée de main» parce que vous saisissez la raquette comme si vous vouliez lui «serrer la main».

Il existe une méthode très simple afin d'apprendre comment tenir correctement la raquette pour effectuer un coup droit: placez la raquette sur une surface plane, comme un bureau ou une table, et maintenez-la en équilibre verticalement sur son cadre.

Avec la main dont vous ne vous servez pas pour tenir la raquette, soulevez cette dernière de la table en la tenant par le cœur et en la maintenant à la verticale. Approchez l'autre main du manche comme si vous vouliez «serrer la main» à la raquette. Saisissez la base de la poignée en la tenant fermement, sans toutefois trop la serrer. Vous pouvez maintenant retirer la main libre.

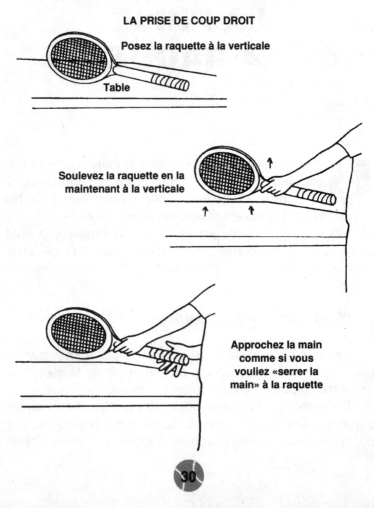

**LA PRISE DE COUP DROIT**

**Posez la raquette à la verticale**

**Table**

**Soulevez la raquette en la maintenant à la verticale**

**Approchez la main comme si vous vouliez «serrer la main» à la raquette**

Gardez les doigts joints. Votre index entoure la poignée et touche la première jointure de votre majeur. Enroulez votre pouce autour de la poignée et appuyez-le contre le bout de votre index. Vous pourrez ainsi frapper la balle avec force et fermeté.

**LA PRISE *EASTERN* DE COUP DROIT**

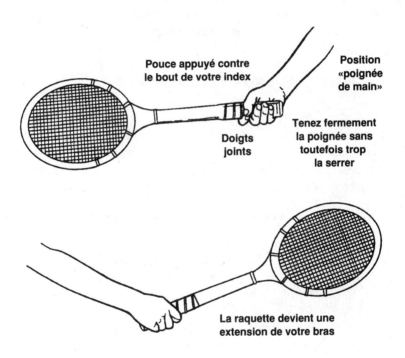

Pouce appuyé contre
le bout de votre index

Position
«poignée
de main»

Doigts
joints

Tenez fermement
la poignée sans
toutefois trop
la serrer

La raquette devient une
extension de votre bras

Dans le cas de la prise *eastern* comme dans celui de toutes les autres prises, la position de votre bras et de votre poignet revêt une grande importance. La raquette devient une extension de votre bras. Votre poignet demeure ferme afin d'éviter que la raquette ne «ballotte» lorsque vous frappez la balle. Appliquez-vous toujours à frapper la balle d'aplomb.

La prise *eastern* de coup droit permet de réduire la tension dans le bras et de frapper la balle avec facilité et naturel. Elle permet en outre de faire rebondir la balle sur le sol avec plus de rapidité ou d'augmenter sa vitesse lorsqu'elle est en l'air.

Cette prise offre au joueur l'avantage de pouvoir frapper aisément la balle, qu'elle soit haute ou basse. Elle peut être utilisée pour les coups droits (voir p. 41), les volées (voir p. 53) et les lobs (voir p. 55).

## LA PRISE *WESTERN* DE COUP DROIT

Cette prise tire son nom de l'endroit dont elle est originaire, à savoir la côte Ouest des États-Unis. Elle a été créée spécialement pour les courts recouverts d'asphalte sur lesquels les balles rebondissent plus haut que sur les courts gazonnés.

**LA PRISE *WESTERN* DE COUP DROIT**

La paume de la main est tournée vers le ciel

La prise *western* n'est pas idéale pour les débutants. Elle peut être difficile à utiliser et causer de la tension dans le bras lorsque vous frappez des balles basses.

Quand vous tenez la poignée de la raquette, la paume de votre main est tournée vers le ciel (voir illustration). La position des doigts demeure toutefois exactement la même que dans le cas de la prise «eastern» (voir pp. 29-31).

L'utilisation de la prise *western* présente cependant un sérieux inconvénient: il est extrêmement difficile de frapper la balle d'aplomb lorsque celle-ci se trouve au niveau de la taille ou plus bas.

## LA PRISE DE REVERS

La prise de revers ressemble à la prise *eastern* de coup droit, mais la position des doigts diffère légèrement puisque, dans ce cas-ci, on frappe la balle avec le côté de la raquette opposé à celui qui est utilisé pour le coup droit.

**LA PRISE DE REVERS**

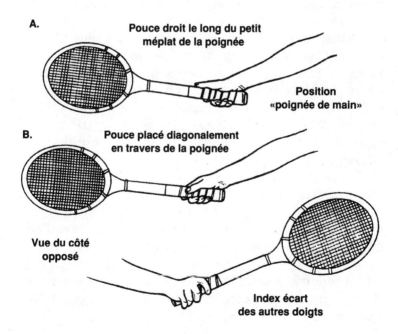

**A.**

Pouce droit le long du petit méplat de la poignée

Position «poignée de main»

**B.**

Pouce placé diagonalement en travers de la poignée

Vue du côté opposé

Index écart des autres doigts

La position du pouce n'est pas la même dans la prise de revers que dans celle de coup droit. Il est en effet préférable de ne pas enrouler votre pouce autour de la poignée de la raquette: cela provoquerait une tension supplémentaire dans votre poignet au moment où vous frappez la balle.

Certains joueurs placent leur pouce en diagonale sur le manche afin d'avoir un appui et de donner ainsi plus de puissance à leur coup de revers. Même s'il peut être encore plus difficile, lorsqu'on tient la raquette de cette façon, de frapper la balle d'aplomb, cette prise est très populaire auprès des joueurs capables d'effectuer de solides coups de revers.

D'autres joueurs préfèrent placer leur pouce droit le long du petit méplat de la poignée de la raquette. Ils parviennent mieux ainsi à frapper la balle d'aplomb. C'est la position idéale pour les débutants.

Selon les coups effectués, les joueurs plus avancés changent souvent la position de leur pouce sur le manche de la raquette au cours d'une partie. Pour tel coup, ils placeront le pouce en diagonale sur la poignée; pour tel autre ils ramèneront le pouce droit le long de la poignée. Une fois que vous maîtriserez vos coups de revers, vous pourrez tenter vos propres expériences.

Dans la prise de revers, votre index s'écarte des autres doigts. Souvenez-vous que dans la prise «eastern» de coup droit (voir p. 31) tous les doigts étaient réunis; dans ce cas-ci, par contre, le majeur, l'annulaire et l'auriculaire sont joints et forment un angle faible par rapport au manche de la raquette, alors que la base de la main repose contre le talon du manche. En plaçant votre main de cette façon, vous empêchez la raquette de glisser lorsque vous frappez la balle.

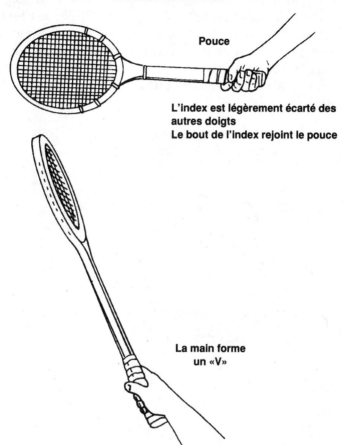

**LA PRISE DE SERVICE**

Pouce

L'index est légèrement écarté des
autres doigts
Le bout de l'index rejoint le pouce

La main forme
un «V»

## LA PRISE DE SERVICE

Le service permet de mettre la balle en jeu. Il existe une prise de service pour débutant qui se situe à mi-chemin entre la prise de coup droit et la prise de revers.

La prise de service de base est parfois dite prise «continentale» parce qu'elle est originaire d'Europe. Cette prise ressemble à la prise «eastern» de coup droit.

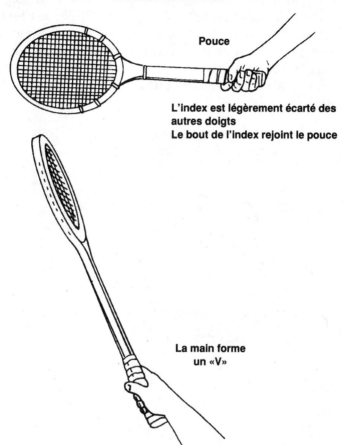
35

Votre pouce est placé en travers du méplat de la poignée et touche le bout de votre index. Ce dernier est légèrement écarté des autres doigts, qui sont joints, et entoure le plus possible la poignée de la raquette, comme dans le cas de la prise «eastern».

(Pour plus de détail concernant le service, voir chapitre 7.)

**LE SERVICE**

# LA BONNE
# TECHNIQUE

**V**ous savez maintenant tenir votre raquette. Nous étudierons au chapitre suivant comment vous pouvez vous en servir. Mais, avant d'aller plus loin, voici quelques renseignements qui vous permettront de posséder une bonne technique.

## FRAPPER LA BALLE

Pour bien frapper la balle, il est important d'être bien concentré, d'adopter une position adéquate et d'effectuer un bon accompagnement *(follow-through)*.

Être bien concentré consiste tout simplement à être attentif au déroulement du jeu et à ne jamais quitter la balle des yeux, même au moment où vous la frappez avec votre raquette. Donc, ne tournez jamais la tête et surveillez constamment la balle.

Le prochain chapitre, qui porte sur les coups de base au tennis, vous apprendra comment placer votre corps en fonction des différents coups.

**L'ACCOMPAGNEMENT**

**La raquette poursuit son mouvement après avoir frappé la balle**

L'accompagnement permet à votre raquette de continuer en partie sa trajectoire après avoir frappé la balle. Il vous permet en outre d'augmenter la rapidité et la précision de vos coups.

## LE CONDITIONNEMENT PHYSIQUE

Certaines personnes croient qu'il n'est pas nécessaire d'être en bonne forme physique pour jouer au tennis. Il n'y a rien de plus faux. Le tennis est un sport extrêmement exigeant, et ses adeptes doivent être en excellente forme physique, car ils doivent sans cesse courir d'un bout à l'autre du terrain pour renvoyer la balle.

Il faut beaucoup d'endurance pour jouer au tennis. N'oubliez pas qu'un match de tennis ne comporte aucune limite de temps. Certaines parties chaudement disputées peuvent durer plusieurs heures. Si vous voulez devenir un bon joueur de tennis, assurez-vous d'être en bonne forme physique avant de mettre le pied sur un court.

## LA POSITION DES PIEDS

La position de vos pieds, au moment où vous frappez la balle, est très importante; elle a une grande influence sur la direction que cette balle prendra. Lorsque vous effectuez un coup droit, placez-vous face à la ligne de côté droite, le pied gauche du côté du filet. Quand, par contre, vous faites un coup de revers, mettez-vous face à la ligne de côté gauche, le pied droit du côté du filet. (Bien entendu, si vous êtes gaucher, vous devez inverser la position des pieds.) Gardez toujours les talons éloignés du sol.

# LES COUPS
# DE BASE

**N**ous allons maintenant étudier les différents coups de base. En apprenant à bien les maîtriser, non seulement vous améliorerez votre jeu, mais vous aurez encore plus de plaisir à jouer au tennis.

## LE COUP DROIT

Le coup droit est le plus important de tous les coups. Pour jouer correctement, il vous faut bien maîtriser ce coup qui permet à la balle de se diriger en ligne droite plutôt que de décrire un arc.

Pour commencer, utilisez la prise «eastern» de coup droit (voir p. 29). Tenez-vous sur la partie antérieure des pieds tout en fléchissant légèrement les genoux.

Votre bras libre ne doit pas rester ballant sur le côté de votre corps. Ce bras a, en effet, deux fonctions importantes: il fait tout d'abord contrepoids au bras tenant la raquette lorsque vous frappez la balle et, quand vous êtes en position d'attente, il aide l'autre bras à supporter le poids de la raquette.

Placez-vous de façon à être légèrement tourné vers la ligne de côté droite. Mettez votre main libre sur le cœur de la raquette, c'est-à-dire la partie du manche qui rejoint le tamis. N'oubliez pas que vous devez la tenir du bout des doigts, sans la serrer trop fort. Reprenez toujours cette position après avoir frappé la balle.

Veillez à ce que le tamis de votre raquette soit toujours dirigé vers le filet et ne tenez jamais celle-ci comme s'il s'agissait d'une poêle à frire. Gardez le manche à bonne distance de votre corps, la raquette à la hauteur de votre taille — elle doit être dans l'axe de votre corps et non sur le côté.

### EN POSITION POUR UN COUP DROIT

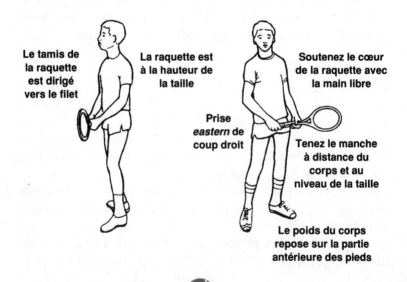

Le tamis de
la raquette
est dirigé
vers le filet

La raquette est
à la hauteur de
la taille

Soutenez le cœur
de la raquette avec
la main libre

Prise
*eastern* de
coup droit

Tenez le manche
à distance du
corps et au
niveau de la taille

Le poids du corps
repose sur la partie
antérieure des pieds

Lorsque la balle s'approche de vous, ne la quittez pas des yeux et dirigez-vous vers elle; n'attendez pas qu'elle vienne à vous. Placez votre corps à gauche de la trajectoire de la balle (ou à droite si vous êtes gaucher). Vous vous retrouvez face à la ligne de côté droite, votre pied gauche du côté du filet (là encore vous devez faire l'inverse si vous êtes gaucher). Votre corps et vos épaules sont parallèles à la trajectoire de la balle.

Avant de frapper la balle, portez votre raquette vers l'arrière. Ce mouvement de balancement vers l'arrière s'appelle «la préparation du coup» (ou «l'élan arrière»). Veillez à ce que votre corps soit suffisamment éloigné de la balle pour ne pas nuire à votre mouvement.

Gardez le coude plié et le bras abaissé lorsque vous effectuez l'élan arrière. La raquette doit presque former un angle droit avec votre avant-bras. Au milieu de votre élan arrière, enlevez votre main libre de la raquette. Votre bras «actif» doit continuer vers l'arrière de votre corps, puis déclencher un nouveau mouvement vers l'avant. La pause entre les deux mouvements doit être extrêmement brève.

Lorsque vous ramenez la raquette vers l'avant, elle se déplace en ligne droite par rapport à la trajectoire de la balle. Ne quittez jamais cette dernière des yeux et synchronisez votre élan. Votre raquette doit frapper la balle tout juste devant votre corps.

Au cours de cette dernière manœuvre, faites passer le poids de votre corps sur le pied avant et utilisez votre bras libre pour faire contrepoids. N'essayez pas de frapper la balle trop fort; appliquez-vous plutôt à la diriger là où vous le désirez et à garder le poignet ferme. Pivotez vers la gauche (ou vers la droite, si vous êtes gaucher) afin d'ajouter force et précision à votre coup. Ce mouvement ressemble à celui d'un frappeur au base-ball. La raquette doit frapper la balle d'aplomb; le tamis de votre raquette doit être à la verticale et non pas incliné vers le haut ou vers le bas.

### COUP DROIT

1. **Pliez le coude et abaissez le bras Placez-vous à gauche de la balle**

2. **Faites une très brève pause, puis ramenez la raquette vers l'avant pour frapper la balle**

3. **Faites un accompagnement tout en suivant la balle des yeux**

Après avoir frappé la balle, vous devez faire un accompagnement; autrement dit, vous laissez votre raquette poursuivre sa course jusqu'à ce qu'elle arrive à la hauteur de votre tête tout en restant orientée en direction de l'endroit où vous avez envoyé la balle.

On appelle «coup après rebond» un coup donné à la balle après qu'elle a rebondi. Il est préférable de frapper ce type de balle lorsqu'elle est à la hauteur de la taille. Si possible, évitez de vous pencher pour frapper une balle se trouvant en dessous du niveau de votre taille; cela pourrait vous mettre hors d'équilibre. Il est préférable de plier les genoux.

Pour renvoyer la balle à votre gauche, déplacez votre pied avant légèrement vers la gauche et effectuez un élan arrière peu prononcé. Frappez la balle devant votre hanche gauche afin de mettre dans ce coup toute la force de votre corps.

Pour renvoyer la balle en plein centre, dirigez-vous vers elle et frappez-la directement devant votre estomac.

Pour renvoyer la balle à votre droite, déplacez-vous dans cette direction et faites un geste de préparation plus prononcé. Frappez la balle lorsqu'elle est à la hauteur de votre hanche droite, légèrement en arrière de celle-ci.

## LE REVERS

Si la balle arrive du côté opposé au bras tenant la raquette, ne tentez *jamais* de la contourner pour la frapper avec un coup droit. Non seulement cela vous mettrait dans une position inconfortable, mais vous laisseriez également une trop grande partie de votre court à découvert. Vous devez, par conséquent, apprendre à utiliser votre revers avec autant de facilité que votre coup droit. Vous ne deviendrez jamais un joueur de tennis complet si vous n'avez pas un bon revers.

Pour tenir la raquette, vous devez utiliser la prise de revers (voir p. 33). On effectue un revers de la même façon qu'un coup droit — mais dans le sens inverse.

Nous allons maintenant examiner chaque phase d'un revers effectué par un joueur droitier. Ici encore, lorsque vous êtes en position d'attente, votre main gauche soutient le cœur de la raquette du bout des doigts, sans trop serrer.

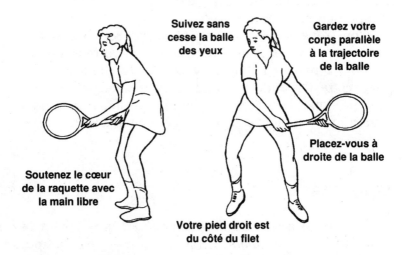

Suivez sans cesse la balle des yeux

Gardez votre corps parallèle à la trajectoire de la balle

Placez-vous à droite de la balle

Soutenez le cœur de la raquette avec la main libre

Votre pied droit est du côté du filet

Lorsque la balle s'approche de vous, placez-vous à droite de sa trajectoire. Mettez-vous face à la ligne de côté gauche, votre pied droit du côté du filet. Vous devez frapper la balle du côté gauche. Comme dans le cas du coup droit, votre corps est parallèle à la trajectoire de la balle. Du moment où vous commencez l'élan arrière jusqu'à celui où vous terminez l'accompagnement, votre épaule droite est tournée vers le filet. Sinon votre coup manquera de puissance et de précision, et vous serez hors d'équilibre.

Gardez les doigts de la main gauche sur la raquette lorsque vous faites le geste de préparation. Enlevez-les à mi-chemin du balancement vers l'avant. (Souvenez-vous que, dans le cas du coup droit, vous enleviez les doigts de votre main gauche en fin de préparation.)

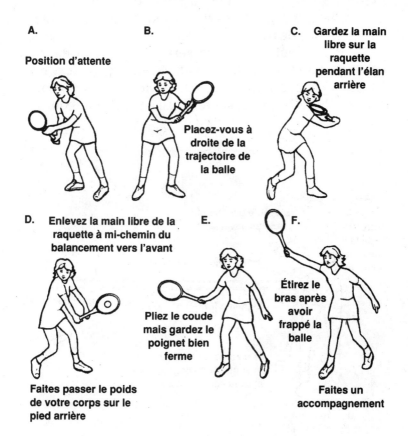

**A.**

Position d'attente

**B.**

Placez-vous à droite de la trajectoire de la balle

**C.** Gardez la main libre sur la raquette pendant l'élan arrière

**D.** Enlevez la main libre de la raquette à mi-chemin du balancement vers l'avant

Faites passer le poids de votre corps sur le pied arrière

**E.**

Pliez le coude mais gardez le poignet bien ferme

**F.**

Étirez le bras après avoir frappé la balle

Faites un accompagnement

## LE SERVICE

Le service est le plus puissant de tous les coups. N'oubliez pas, cependant, qu'il n'est pas nécessaire de frapper comme un forcené sur votre première balle de service. La précision est, en effet, plus importante que la puissance puisque vous commettez une faute si la balle atterrit hors des limites du carré de service adverse. Et, si vous faites une double faute (à savoir deux fautes de service consécutives), vous perdez le point (voir p. 23). Efforcez-vous donc de toujours réussir votre premier service.

Le joueur qui effectue le service jouit d'un énorme avantage. En effet, un service efficace est difficile à relever. Lorsque son adversaire ne parvient pas à renvoyer la balle de service, le serveur gagne un point qui est appelé *as*.

## POSITION DE SERVICE

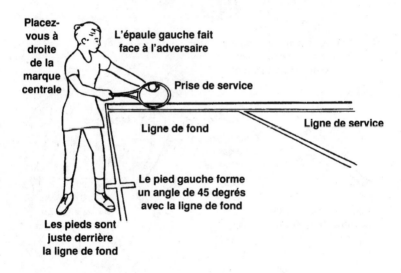

Placez-vous à droite de la marque centrale

L'épaule gauche fait face à l'adversaire

Prise de service

Ligne de fond

Ligne de service

Le pied gauche forme un angle de 45 degrés avec la ligne de fond

Les pieds sont juste derrière la ligne de fond

Utilisez la prise «continentale» pour effectuer votre service (voir p. 35). Placez-vous à droite de la marque centrale, juste en arrière de la ligne de fond. Votre corps fait face au côté droit du court et votre pied gauche forme un angle de 45 degrés avec la ligne de fond. Votre épaule gauche fait face à votre adversaire.

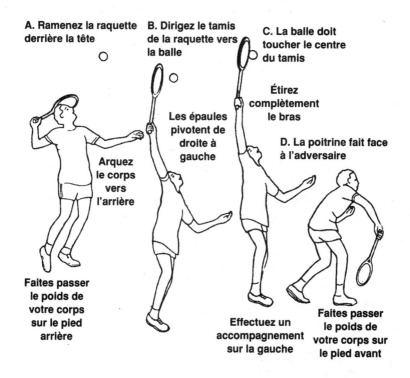

**A. Ramenez la raquette derrière la tête**

**B. Dirigez le tamis de la raquette vers la balle**

**C. La balle doit toucher le centre du tamis**

**Étirez complètement le bras**

**Les épaules pivotent de droite à gauche**

**D. La poitrine fait face à l'adversaire**

**Arquez le corps vers l'arrière**

**Faites passer le poids de votre corps sur le pied arrière**

**Effectuez un accompagnement sur la gauche**

**Faites passer le poids de votre corps sur le pied avant**

Lorsque vous servez, la position de votre corps est très importante. En plus d'accroître la puissance et la précision de votre coup, une bonne position vous donne un meilleur équilibre.

Commencez par abaisser l'épaule droite tout en arquant le corps vers l'arrière. Faites passer presque tout le poids de votre corps sur le pied arrière. Lancez la balle à 1,2 m ou 1,5 m (4 ou 5 pi) au-dessus de votre tête. La balle devrait être légèrement devant vous et sur le côté de manière à se retrouver dans l'axe de votre pied gauche. Ne la quittez pas des yeux tout au long de cette manœuvre.

Le service est un coup effectué au-dessus de la tête. Votre bras ramène la raquette loin derrière votre tête, puis vers l'avant, comme si vous vouliez la projeter au loin. Vous devez penser à redresser le tamis de la raquette au moment où vous frappez la balle; celle-ci devrait toucher le centre du cordage au moment où le bras et la raquette sont en complète extension. N'oubliez pas que le mouvement qui ramène la raquette vers l'avant se fait au-dessus de l'épaule.

Lorsque la raquette se rapproche de la balle, vos épaules pivotent de droite à gauche de sorte que votre poitrine soit face à votre adversaire au moment du coup. Faites passer le poids de votre corps du pied arrière au pied avant lorsque vous ramenez la raquette vers l'avant. Tout le poids de votre corps doit être sur le pied avant quand vous effectuez l'accompagnement. Cette dernière manœuvre doit se terminer sur la gauche.

Au moment de servir, souvenez-vous que vous devez bien lancer la balle en l'air sans jamais la quitter des yeux. Essayez de réussir votre premier service afin de ne pas prendre le risque de commettre une double faute. Veillez également à ne pas faire une faute de pied (voir p. 25). Comme nous l'avons vu, une fois que vos deux pieds sont en position de service, vous commettez une faute si vous les déplacez. Évitez par conséquent de marcher, de courir, de sauter en l'air ou de mettre les pieds sur la ligne de fond.

## LE SMASH

Le smash est exactement comme un service, à cette différence près que ce n'est pas vous qui lancez la balle en l'air. C'est en effet votre adversaire qui, en quelque sorte, le fait pour vous en renvoyant mollement la balle en l'air — on appelle cela un *lob* (voir p. 55).

Tout comme le service, le smash est effectué au-dessus de la tête. Il s'agit généralement d'un coup exécuté entre la ligne de service et le filet. Ce coup est frappé vers le bas avec une telle force que la balle rebondit rapidement hors de la portée de l'adversaire.

Pour faire un smash, ramenez la raquette loin derrière votre tête sans quitter la balle des yeux. En effet, encore davantage que pour tout autre coup, vous devez surveiller attentivement la balle des yeux si vous voulez que votre smash soit efficace.

**LE SMASH**

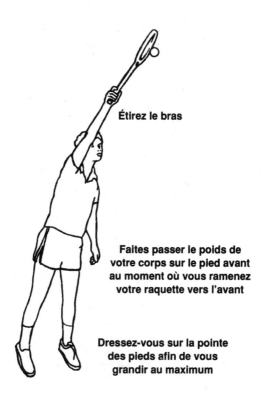

**Étirez le bras**

**Faites passer le poids de votre corps sur le pied avant au moment où vous ramenez votre raquette vers l'avant**

**Dressez-vous sur la pointe des pieds afin de vous grandir au maximum**

Pour frapper la balle, dressez-vous sur la pointe des pieds afin de vous grandir au maximum. Votre objectif est de frapper la balle vers le sol. Au moment où votre raquette descend à la rencontre de la balle, étirez le bras et faites passer le poids de votre corps sur le pied avant. Par contre, si vous devez sauter en l'air pour effectuer un smash, vous ne pourrez utiliser que la partie supérieure de votre corps pour exécuter ce coup. Néanmoins, ne négligez pas de faire l'accompagnement et de ramener votre raquette de l'autre côté de votre corps.

## LA VOLÉE

La balle est frappée avant qu'elle ne touche le sol

Élan arrière peu prononcé

Pieds écartés

## LA VOLÉE

La volée consiste à renvoyer la balle avant qu'elle n'ait rebondi. Autrement dit, on la frappe en l'air. Ce coup est utilisé lorsque vous vous dirigez vers le filet ou que vous vous trouvez près de celui-ci.

Les prises utilisées pour la volée sont les mêmes que celles dont on se sert pour le coup droit ou le revers. Le corps et les pieds sont dans la même position que lorsqu'on fait un coup droit (voir p. 41) ou un revers (voir p. 45), selon le côté où arrive la balle. La volée est toutefois plus difficile à exécuter dans la mesure où, en général, vous n'avez pas le temps de placer vos pieds correctement. Quand vous effectuez une volée, gardez les pieds écartés et tenez-vous sur leur partie antérieure. Portez le poids de votre corps sur le pied situé le plus près de la balle au moment où vous la frappez.

Le geste de préparation est peu prononcé. Gardez le tamis de votre raquette au-dessus du niveau de vos poignets et donnez un coup sec sur la balle plutôt que de faire un mouvement de balancement dans sa direction. Assurez-vous de frapper la balle d'aplomb si elle est au-dessus du niveau du filet. Dans le cas contraire, le tamis est légèrement incliné vers le haut. Gardez également le poignet bien ferme. L'accompagnement est très bref.

Essayez d'envoyer la balle le plus bas possible et de remporter le point par la même occasion; sinon vous risquez de vous retrouver hors position et d'être incapable de renvoyer la balle quand elle va revenir.

## LA DEMI-VOLÉE

La demi-volée permet de renvoyer une balle que votre adversaire vous envoie dans les pieds alors que vous vous trouvez dans le no man's land, c'est-à-dire la zone neutre située entre la ligne de service et celle de fond. La balle est frappée immédiatement après avoir touché le sol et effectué un petit bond semblable à ceux que fait une balle de base-ball. Le corps est face à la ligne de côté comme pour un coup normal, à cette différence près que, dans le cas de la demi-volée, l'élan arrière est très peu prononcé. Tenez votre raquette fermement et orientez votre tamis légèrement vers le haut lorsque vous frappez la balle afin de lui donner un «effet d'avant» *(top-spin)* (voir p. 61). Vous ne devez pas faire d'accompagnement.

Un joueur droitier doit faire passer le poids de son corps sur le pied gauche dans le cas d'un coup droit et sur le pied droit dans le cas d'un coup de revers.

### LA DEMI-VOLÉE

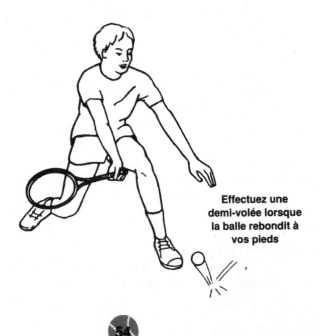

**Effectuez une demi-volée lorsque la balle rebondit à vos pieds**

## LE LOB

Le lob, aussi appelé «chandelle», consiste à lancer mollement la balle en hauteur de sorte qu'elle retombe au-delà du joueur adverse posté au filet. Ce coup est généralement exécuté du fond de court.

Tenez la raquette de la même façon que pour faire un coup normal. N'essayez pas de raccourcir votre élan arrière. Pour réussir un lob, vous devez feinter votre adversaire; sinon il se rendra rapidement compte de vos intentions et se placera dans une position qui lui permettra de renvoyer la balle à l'aide d'un smash (voir p. 50).

Frappez la balle vers le haut en gardant votre poignet relâché et en inclinant le tamis de votre raquette dans la même direction. Le mouvement de balancement vers l'avant est effectué de bas en haut. Essayez de frapper la balle doucement en plein centre du tamis. Il est préfé-

**LE LOB**

Inclinez la raquette vers le haut

Frappez la balle vers le haut

OUPS!

Poignets relâchés

55

rable, la plupart du temps, d'envoyer une telle balle du côté du revers de votre adversaire afin qu'il ait plus de difficulté à la renvoyer.

Il arrive fréquemment qu'un lob soit frappé à la volée, dans lequel cas on parle de «volée haute». Elle permet de surprendre l'adversaire et de le prendre à contre-pied. On utilise la volée haute pour l'une des raisons suivantes: il peut s'agir d'un coup défensif permettant de reprendre une bonne position ou d'un coup offensif destiné à surprendre l'adversaire demeuré trop près du filet.

## L'AMORTI

Vous pouvez effectuer un amorti lorsque votre adversaire se trouve dans le fond de court. Il s'agit d'un coup frappé avec tout juste assez de force pour que la balle

**L'AMORTI**

retombe immédiatement de l'autre côté du filet en effectuant un faible rebond. Pour bien réussir ce coup, vous devez être très près du filet, environ 1 m (39 po). Mais prenez garde! Vous ne devez jamais toucher le filet, que ce soit avec votre corps ou avec votre raquette; sinon le point irait à votre adversaire.

La balle doit à peine effleurer le cordage. Ce coup est effectué en douceur et presque sans mouvement de balancement. Il n'y a, en fait, ni élan arrière ni accompagnement.

## LE *CHOP*

Ce coup, généralement effectué de la ligne de fond, est l'un des plus vieux coups au tennis. Une balle chopée rebondit faiblement presque à la verticale.

**LE *CHOP***

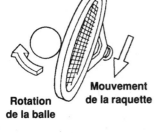
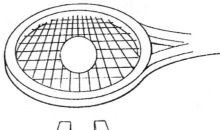

**Rotation de la balle**

**Mouvement de la raquette**

**Inclinez la raquette vers l'arrière en lui donnant un angle d'environ 15 degrés par rapport à la verticale**

Le fait de choper la balle lui donne un effet spécial. Pour imprimer à la balle un mouvement de rotation, inclinez légèrement le tamis de votre raquette vers l'arrière en lui donnant un angle d'environ 15 degrés par rapport à la verticale.

Prenez un élan vers le bas. Votre tamis doit racler la surface de la balle, comme si vous vouliez la trancher. N'effectuez pas d'accompagnement; arrêtez votre élan aussitôt que vous avez frappé la balle.

## COUP DROIT À PLAT

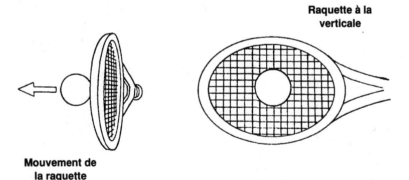

Raquette à la verticale

Mouvement de
la raquette

# LES BALLES
# À EFFET

**A**u tennis, il est important de pouvoir donner de l'effet à la balle. Jusqu'à présent, vous avez surtout appris à frapper la balle à plat en maintenant votre raquette à la verticale. Une balle frappée à plat se dirige normalement en ligne droite et n'a que peu d'effet.

Cependant, en inclinant votre raquette, vous pouvez rendre vos coups et vos services beaucoup plus difficiles à renvoyer. Selon l'angle que vous donnez à votre raquette, vous pouvez obliger la balle à dévier à gauche ou à droite ou à rebondir d'une façon inattendue.

Pour comprendre comment donner de l'effet à la balle, imaginez que celle-ci a un dessus, un dessous, un devant et un derrière, ce dernier côté étant celui qui se trouve le plus près de votre raquette.

## LE COUP COUPÉ

Le coup coupé permet de donner un effet rétrograde à la balle; autrement dit, celle-ci part en tournant sur elle-même dans le sens des aiguilles d'une montre (voir l'illustration). Grâce à cet effet, la balle rebondit à la verticale ou dévie brusquement sur la gauche ou sur la droite de votre adversaire.

Pour effectuer un service coupé, vous devez frapper la balle sur le côté dans un mouvement rapide.

Tout comme lorsque vous effectuez un coup chopé, la raquette est inclinée par rapport à la balle au moment du contact. Dans ce cas-ci, cependant, l'angle est plus prononcé, le tamis étant incliné davantage vers l'arrière. Raclez le dos de la balle avec votre raquette, comme si vous vouliez la trancher. Vous devez effectuer un accompagnement.

**Angle de la raquette dans le cas du coup coupé**

**Inclinez votre raquette vers l'arrière**

**Le tamis de votre raquette racle la balle**

**Angle de la raquette dans le cas du coup chopé**

# LE COUP BROSSÉ

Lorsque vous frappez un coup brossé (appelé également *top-spin* ou «effet d'avant»), la balle tourne sur elle-même dans le sens contraire des aiguilles d'une montre. Quand elle rebondit sur le sol du court adverse, elle monte en l'air rapidement en déviant à la gauche ou à la droite de votre adversaire. Les services brossés sont souvent très efficaces.

**La raquette est
inclinée vers l'avant**

**Mouvement
de rotation
de la balle**

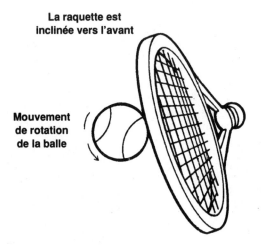

Pour réussir un coup brossé, inclinez votre raquette vers l'avant et frappez la balle de bas en haut. Au moment où la raquette entre en contact avec elle, son inclinaison est différente de celle que nous avons vue dans le cas du coup coupé. Ici, en effet, elle est inclinée vers l'avant afin d'imprimer à la balle un mouvement de rotation rapide vers le sol.

Au moment où la balle touche le sol, elle rebondit très haut en l'air.

# QUELQUES CONSEILS

**Q**ue devez-vous faire juste après avoir réussi un bon coup? Surtout pas vous contenter de regarder béatement la balle en vous extasiant sur votre prouesse. Pendant ce temps, votre adversaire pourrait la renvoyer de manière à vous prendre à contre-pied. Par conséquent, aussitôt que vous avez frappé la balle, vous devez vous préparer à la recevoir de nouveau. Essayez toujours de la renvoyer lorsqu'elle est près du filet ou de la ligne de fond. Si vous vous trouvez entre la ligne de service et celle de fond — partie du terrain appelée *no man's land* ou «zone neutre» — , vous pourriez avoir d'énormes difficultés à la frapper. Vous devriez également éviter de vous tenir le long des lignes de côté.

Donc, aussitôt après avoir frappé la balle, vous devez bien vous placer sur le terrain, à savoir près du filet ou près de la ligne de fond. Si vous voulez frapper votre coup suivant de la ligne de fond, placez-vous à environ 90 cm (3 pi) derrière le centre de celle-ci. Si, par contre, vous voulez le faire du filet, placez-vous à 1,20 m ou à 1,80 m (4 ou 6 pi) du centre de celui-ci.

Rappelez-vous toutefois qu'il est plus risqué de jouer près du filet que de la ligne de fond. Votre adversaire peut, en effet, plus facilement envoyer la balle par-dessus votre tête lorsque vous vous trouvez à cet endroit.

**BONNE POSITION**

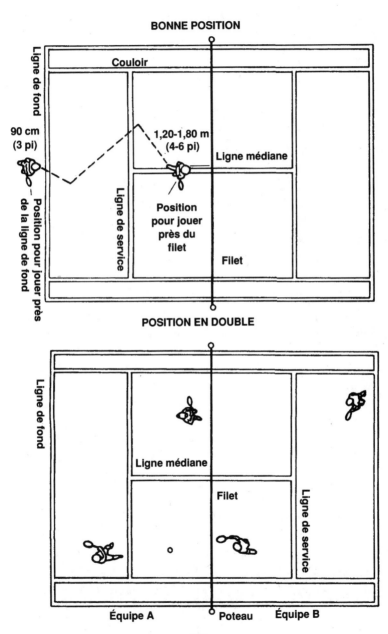

Couloir

Ligne de fond

90 cm
(3 pi)

1,20-1,80 m
(4-6 pi)

Ligne médiane

Position pour jouer près
de la ligne de fond

Ligne de service

Position
pour jouer
près du
filet

Filet

**POSITION EN DOUBLE**

Ligne de fond

Ligne médiane

Filet

Ligne de service

Équipe A

Poteau

Équipe B

## LES SERVICES SURPRISE SONT INTERDITS

**Lorsque le serveur rate son
coup, il commet une faute**

Le débutant doit se rappeler qu'on n'a pas le droit d'effectuer un service tant que son adversaire n'est pas prêt. Au tennis, il est en effet interdit d'effectuer des services surprise. Si un serveur lance la balle en l'air, prend son élan et rate son coup, il commet une faute.

Enfin, si, au cours du jeu, la balle que vous frappez touche le filet, l'un des deux poteaux ou la corde tenant le filet et atterrit sur le terrain de votre adversaire, le coup est bon.

# ENTRAÎNEZ-VOUS!

Il peut être utile et agréable de vous entraîner sur un court en compagnie d'un ami. Rappelez-vous qu'il s'agit alors d'un entraînement et non d'une vraie partie. Par conséquent, n'essayez pas de frapper la balle de toutes vos forces ou de faire du zèle. Vous êtes là pour perfectionner votre jeu, coup après coup. Surveillez votre style.

Vous pouvez également vous entraîner seul en envoyant la balle contre un mur, dans une cour d'école par exemple. Vous avez, en outre, la possibilité de vous munir d'un panier de balles et de pratiquer votre service sur un court. Au début, veillez à frapper la balle avec précision plutôt qu'avec force.

Le tennis est un sport merveilleux. On peut le pratiquer à l'intérieur comme à l'extérieur et il permet de faire de l'exercice tout en s'amusant. Maintenant que vous en connaissez les techniques de base, vous prendrez encore davantage plaisir à jouer au tennis. Bonne chance!

# TABLE DES MATIÈRES

## DANS LA MÊME COLLECTION

Exceller au baseball
Exceller au football
Exceller en natation

À paraître

Exceller au basket-ball
Exceller au softball